P9-CQI-335

GUIDE DE PROCÉDURE DES ASSEMBLÉES DÉLIBÉRANTES

4e édition révisée

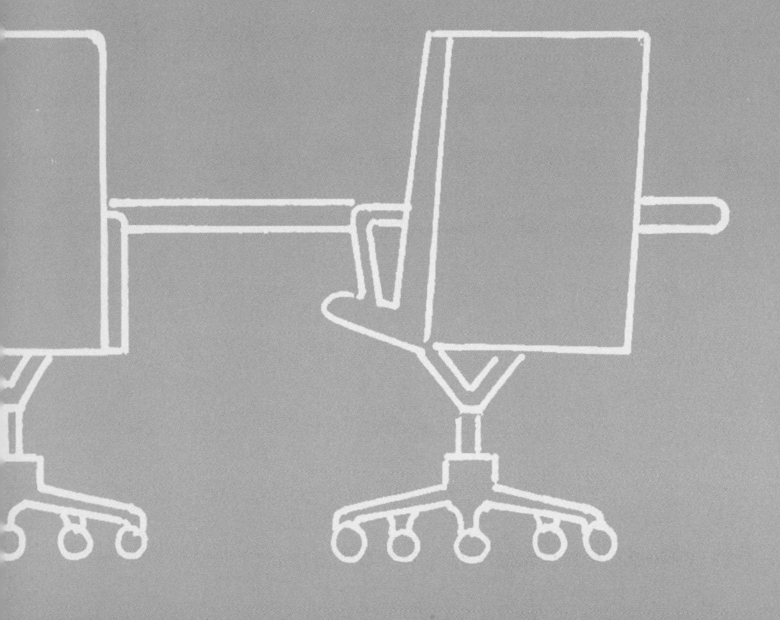

GUIDE DE PROCÉDURE
DES ASSEMBLÉES DÉLIBÉRANTES

4e édition révisée

LES PRESSES DE L'UNIVERSITÉ DE MONTRÉAL

Données de catalogage avant publication (Canada)
Vedette principale au titre :
Guide de procédure des assemblées délibérantes
4e éd. rév.
Comprend un index.
ISBN 2-7606-1755-6
1. Règlement intérieur d'assemblée – Guides, manuels, etc.
2. Réunions – Guides, manuels, etc.
I. Université de Montréal. Secrétariat général.
AS6.G795 2000 060.4'2 C00-941547-5

Les Presses de l'Université de Montréal remercient le ministère du Patrimoine canadien du soutien qui leur est accordé dans le cadre du Programme d'aide au développement de l'industrie de l'édition.
Les Presses de l'Université de Montréal remercient également le Conseil des Arts du Canada et la Société de développement des entreprises culturelles du Québec (SODEC).

Dépôt légal : 1er trimestre 2001
Bibliothèque nationale du Québec

IMPRIMÉ AU CANADA

Table des matières

Préface de la quatrième édition

LE PRÉSENT OUVRAGE, publié initialement en 1980, reprend le texte des éditions antérieures. Toutefois, nous avons jugé opportun d'en améliorer la disposition typographique et d'ajouter deux annexes : l'une proposant une méthode de classement des documents relatifs aux assemblées délibérantes et l'autre décrivant les fonctions et la structure du procès-verbal.

Ce guide est l'œuvre d'une équipe chargée de proposer un manuel de consultation facile et adapté aux nouvelles exigences en la matière. Le succès qu'il a connu au fil des années, malgré des moyens limités de diffusion, laisse croire que l'objectif a été largement atteint. Je souligne donc avec reconnaissance la contribution des collègues Jean-Pierre Bernier, Jacques Boucher, Bernard Charles, † Jean Martucci et, particulièrement, celle de Madeleine Sauvé.

Dans un grand nombre de cas, les auteurs n'ont fait que consigner des pratiques plus ou moins généralisées à l'Université ou ailleurs ; là où il y avait divergence entre les usages observés, ils ont fait des choix qu'ils jugeaient les plus appropriés ; en outre, ils ont proposé quelques innovations dont la pertinence s'est confirmée dans le temps. Dans l'ensemble, le *Guide* s'inscrit dans la tradition de l'ouvrage de Victor Morin, *Procédure des assemblées délibérantes*.

Le *Guide* comprend une centaine de règles groupées selon la chronologie même d'une séance d'assemblée, soit : préparation, début, déroulement et fin. Ces règles sont présentées sous forme d'articles numérotés de façon continue et enrichis, le cas échéant, de brefs commentaires. Pour en faciliter la consultation, un tableau récapitulatif de l'ensemble de ces règles a été ajouté en fin de volume.

Nous souhaitons que le *Guide de procédure des assemblées délibérantes* soit un instrument utile à la conduite des délibérations et qu'il permette à chacun d'exercer son droit d'expression, assurant ainsi un fonctionnement efficace des assemblées.

MICHEL LESPÉRANCE

Secrétaire général de l'Université de Montréal

I

La préparation d'une séance

RÈGLE 1

Ordre du jour : élaboration du projet

L'élaboration du projet d'ordre du jour d'une séance relève du secrétaire à moins que l'assemblée n'ait confié cette responsabilité à un comité, généralement appelé « Comité de l'ordre du jour », dont le secrétaire fait partie d'office.

RÈGLE 2

Ordre du jour d'une séance ordinaire

En règle générale, l'ordre du jour d'une séance ordinaire comprend les points suivants :

- ordre du jour,
- adoption du procès-verbal,
- affaires découlant du procès-verbal,
- correspondance,
- période d'informations,
- période de questions,
- affaires reportées,
- affaires nouvelles,
- affaires diverses,
- clôture de la séance.

À moins qu'un ordre différent ne soit adopté par l'assemblée, les affaires reportées ont priorité sur les nouvelles et se retrouvent dans l'ordre suivant :

- les affaires dont l'étude n'a pas été terminée à la dernière séance ;

- les affaires inscrites à l'ordre du jour de la dernière séance dont l'étude n'a pu être abordée.

Les affaires nouvelles sont inscrites dans l'ordre suivant:

- les affaires réinscrites, c'est-à-dire celles dont l'assemblée se saisit à nouveau et qu'elle a déjà étudiées au cours de séances antérieures;
- les affaires nouvellement inscrites, selon l'ordre de leur réception;
- les affaires diverses.

Le secrétaire peut également, sur demande ou de sa propre initiative, inscrire une question comme point spécial à l'ordre du jour, c'est-à-dire fixer le moment (heure fixe ou présence de telle ou telle personne) où cette question devra être soumise à la discussion.

Commentaires ▸ L'ordre proposé relativement aux affaires reportées et aux affaires nouvelles peut, dans certaines assemblées, soulever plus de problèmes qu'il ne veut en résoudre. Ainsi, il peut être préférable de donner priorité à l'étude d'une affaire nouvelle sur l'étude d'une affaire reportée. ▸ De plus, le secrétaire ou l'assemblée peut juger préférable d'inscrire les questions à l'ordre du jour selon un ordre qui tient compte d'autres critères, comme l'urgence de la question ou la présence, à un moment précis de la réunion, d'une personne qui doit participer à sa discussion.

RÈGLE 3
Convocation de l'assemblée : pouvoir

Le président de l'assemblée convoque l'assemblée. Toutefois, s'il y a entente explicite ou implicite à ce sujet, le vice-président ou le secrétaire peut convoquer l'assemblée au nom du président.

La personne habilitée à convoquer l'assemblée a également le pouvoir d'annuler une convocation; elle doit alors répondre devant l'assemblée des motifs de cette annulation.

RÈGLE 4
Convocation de l'assemblée : mode, délai et contenu

L'assemblée doit normalement être convoquée par un avis écrit expédié au moins cinq jours avant la tenue de la séance. L'avis de convocation doit indiquer le lieu de la réunion et l'heure d'ouverture de la séance.

Commentaires ▸ Cette règle a pour but d'assurer que les membres de l'assemblée soient dûment informés de la tenue d'une séance et puissent prendre les dispositions utiles pour y assister.

RÈGLE 5

Convocation d'une assemblée : sans avis écrit et sans respecter le délai prescrit

L'assemblée peut, lorsqu'il y a urgence, être convoquée dans un délai plus court que le délai prescrit. À la rigueur, cette convocation peut être faite verbalement.

En ce dernier cas, les membres qui ne peuvent être joints doivent, aussitôt après la séance, être informés par écrit de la tenue de celle-ci et de son ordre du jour.

Par ailleurs, tout membre qui estime avoir été lésé par suite de la procédure d'urgence peut se prévaloir des dispositions de la règle 35.

Commentaires ▸ Même si une assemblée ne doit pas, en règle générale, être convoquée à l'improviste, il arrive que les circonstances exigent la tenue d'une séance dans un délai très court ne permettant pas de faire tenir en temps opportun un avis écrit aux membres. ▸ Dans un tel cas, il faut veiller à sauvegarder le bien général sans que soient compromis le droit de tout membre d'une assemblée d'assister aux séances et le droit d'une minorité de faire valoir son point de vue.

RÈGLE 6

Convocation de l'assemblée : personnes auxquelles elle doit être envoyée

L'avis de convocation doit être adressé à tous les membres. Une copie de cet avis doit être également expédiée aux personnes qui ont le droit de participer à la séance à d'autres titres.

Tout membre de l'assemblée qui n'a pas reçu l'avis de convocation peut se prévaloir des dispositions de la règle 35.

Commentaires ▸ Normalement, seuls les membres d'une assemblée ont le droit de participer à ses délibérations. Cependant, il peut arriver, en vertu de dispositions statutaires ou réglementaires ou à la suite de décisions de l'assemblée elle-même, que des personnes qui ne sont pas membres de l'assemblée aient le droit de participer aux délibérations de celle-ci.

RÈGLE 7

Convocation de l'assemblée : personnes qui doivent en être informées

Lorsque les délibérations de l'assemblée sont publiques, le secrétaire doit faire en sorte que la convocation et le projet d'ordre du jour soient rendus publics avant la séance.

Commentaires ▸ Une assemblée peut devoir siéger en public en vertu des statuts, des règlements qui la régissent ou de ses propres décisions. ▸ Il y a alors divers moyens de joindre les intéressés : affiches, avis dans un journal, annonces à la radio, lettres circulaires, courriels, etc. Pour des raisons d'efficacité, il est préférable d'utiliser régulièrement les mêmes moyens.

RÈGLE 8

Convocation de l'assemblée : adresse à laquelle elle est envoyée

La convocation est envoyée au lieu de travail de l'intéressé, à moins d'indication contraire de la part de celui-ci ou de circonstances exceptionnelles.

RÈGLE 9

Convocation de l'assemblée : demande faite par des membres

Le quart des membres de l'assemblée peut exiger la convocation de celle-ci.

RÈGLE 10

Ordre du jour : moment de l'envoi

L'ordre du jour est envoyé en même temps que la convocation.

Dans le cas d'une séance extraordinaire, cette règle ne peut souffrir d'exception.

Dans le cas d'une séance ordinaire, si cette règle n'est pas respectée, le tiers des membres peut exiger que l'étude de points inscrits à l'ordre du jour soit reportée à la prochaine séance.

Commentaires ▸ De même que tout membre d'une assemblée doit être dûment informé de la tenue d'une séance, de même doit-il connaître en temps utile les points qui y seront discutés.

RÈGLE 11

Ordre du jour : demande d'inscription d'une question

Toute personne peut s'adresser au secrétaire d'une assemblée pour demander qu'une question soit inscrite à l'ordre du jour d'une séance. Il revient cependant au secrétaire ou, le cas échéant, au Comité de l'ordre du jour de décider d'inclure ou non cette question au projet d'ordre du jour.

RÈGLE 12

Documents : moment de leur envoi

Les documents nécessaires à l'étude des points inscrits à l'ordre du jour d'une séance de l'assemblée doivent être envoyés en même temps que la convocation ou, au plus tard, 48 heures avant la séance. Lorsque cette règle n'est pas suivie, l'étude des points pour lesquels les documents ne sont pas parvenus en temps opportun doit être reportée à une prochaine séance si un tiers au moins des membres présents le demande.

RÈGLE 13

Types de séances

Les séances peuvent être ordinaires ou extraordinaires.
Les séances ordinaires comportent tous les points habituels d'un ordre du jour. Les séances extraordinaires ne peuvent comporter que les points pour lesquels elles ont été expressément convoquées.

Commentaires ▸ Une séance extraordinaire n'est pas nécessairement une séance d'urgence.

RÈGLE 14

Lieu des séances

Les séances se tiennent de préférence dans les locaux de l'organisme et toujours là où l'indiquait l'avis de convocation, à moins d'information contraire fournie à tout membre pouvant se présenter au lieu d'abord prévu. Lorsqu'une séance ordinaire ou extraordinaire doit avoir lieu par téléphone, on procédera par conférence téléphonique de façon à permettre

à tous d'entendre les interventions, à défaut de quoi il n'y a pas de délibération et, conséquemment, pas de séance de l'assemblée comme telle.
Si les conditions matérielles du lieu de la séance nuisent gravement à la conduite des débats, tout membre peut, à tout moment, intervenir en posant une question de privilège visant à corriger la situation.
Un membre qui estime qu'un changement de lieu l'a privé de son droit de participation peut se prévaloir des dispositions de la règle 35.

Commentaires ▸ La simple consultation par téléphone peut s'avérer un moyen utile de gestion. On observera cependant que, contrairement à la conférence téléphonique, la consultation par téléphone ne peut tenir lieu de séance d'assemblée en bonne et due forme ; toute décision prise alors doit être ratifiée au cours d'une séance ultérieure. ▸ De bonnes conditions matérielles impliquent que l'éclairage, l'aération et l'acoustique, entre autres, soient convenables.

RÈGLE 15

Fréquence des séances

L'assemblée fixe elle-même la fréquence de ses séances ordinaires en respectant le nombre minimal de séances annuelles ou mensuelles que lui imposent les statuts ou les règlements.

Commentaires ▸ Lorsque la chose est possible, il convient de faire connaître aux membres les dates des séances ordinaires pour l'année ou pour les mois à venir.

RÈGLE 16

Demande d'audition

Quand une personne veut être entendue par une assemblée dont elle n'est pas membre, elle doit en faire la demande au président ou au secrétaire. Celui-ci transmet la demande à l'assemblée, qui l'accepte ou la rejette. La même règle s'applique dans le cas d'un groupe.

II

Le début d'une séance

RÈGLE 17

Nécessité d'un président

Une assemblée ne peut délibérer sans président. Celui-ci peut être le président d'office, un président de séance déjà désigné ou choisi séance tenante.

Commentaires ▸ Il y a lieu de souligner ici que le président de l'assemblée peut demander à l'un de ses membres ou à une autre personne d'agir comme président de séance. Cette désignation peut être faite pour une période donnée ou pour une séance seulement. L'assemblée peut également procéder à une telle désignation.

RÈGLE 18

Appel à l'ordre et ouverture de la séance

Le président de l'assemblée ou le président de séance désigné doit, à l'heure fixée par la convocation ou dans les quinze minutes qui suivent, appeler les participants à l'ordre pour que s'ouvre la séance. S'il n'y a pas de président désigné, le secrétaire fait l'appel à l'ordre et préside cette seule délibération que constitue le choix d'un président de séance. À défaut de secrétaire, n'importe quel membre de l'assemblée peut jouer ce rôle.

La séance ne peut être déclarée ouverte que par le président de l'assemblée, le président de séance désigné ou le président de séance élu pour une séance en particulier, et qu'après les vérifications relatives aux présences, à la convocation et au quorum.

Commentaires ▸ L'appel à l'ordre par un participant autre que le président, le président de séance ou le secrétaire ne doit intervenir que dans des cas exceptionnels. Il serait contraire à l'esprit de la procédure de profiter d'un retard de quelques minutes du président pour ouvrir la séance en son absence. Quand le président retardataire se présente, il peut assumer la présidence de la séance en cours.

RÈGLE 19
Vérification du droit de présence

Le président doit s'assurer que seules les personnes autorisées à assister à la séance y sont présentes.

Commentaires ▸ La présence aux séances d'une assemblée peut être autorisée de droit, ou par privilège, ou en vertu de la fonction exercée. ▸ À moins que les règlements ne le permettent explicitement, un membre de l'assemblée ne peut exercer ses droits par procuration ni pour la participation aux débats, ni pour le vote.

RÈGLE 20
Opposition à la présence d'une personne

Quand un membre s'oppose à la présence d'une personne à la séance, il peut en tout temps saisir le président de son objection et faire valoir ses arguments. Le président prend alors une décision ; tout membre peut en appeler de cette décision devant l'assemblée, laquelle se prononce après avoir obtenu les renseignements pertinents, mais sans discussion.

RÈGLE 21
Huis clos

Quand une assemblée siège à huis clos, le président doit veiller tout particulièrement à ce que seules se trouvent dans le lieu de la séance les personnes autorisées à y être ; subséquemment, le secrétaire doit faire parvenir le procès-verbal des délibérations qui se sont déroulées à huis clos aux seules personnes qui avaient le droit d'être présentes à cette partie de la séance. Si le président ou le secrétaire ne sont pas membres de l'assemblée, ils demeurent en fonction même durant le huis clos, à moins d'une décision contraire de l'assemblée.

RÈGLE 22
Vérification de l'envoi de l'avis de convocation

Le président doit s'assurer que l'assemblée a été convoquée validement. Dans le cas contraire, l'assemblée doit décider si la séance peut avoir lieu sans nouvelle convocation, sous réserve de la règle 35.

RÈGLE 23
Constatation du quorum

Pour que l'assemblée puisse se tenir validement, le président doit constater qu'il y a quorum.

Commentaires ▸ Le quorum, c'est-à-dire le nombre minimal de membres présents exigé pour que l'assemblée puisse siéger validement, est fixé par les statuts ou par les règlements. ▸ On ne doit faire entrer dans le calcul du quorum que les membres de plein droit de l'assemblée, ce qui exclut les invités et les membres honoraires.

RÈGLE 24
Absence de quorum

Si la séance ne peut commencer faute de quorum, les membres présents peuvent signer une feuille de présence et se retirer après un délai raisonnable.

Même si l'arrivée d'autres membres fait qu'il y a quorum par la suite, l'assemblée ne peut tenir sa réunion à moins que les membres qui ont signé la feuille de présence n'y consentent.

Commentaires ▸ Cette mesure vise à empêcher que des membres absents viennent par la suite tenir la séance en prétextant un simple retard.

RÈGLE 25
Maintien du quorum

Il est présumé que le quorum vérifié au début de la séance dure en tout temps durant l'assemblée, mais tout membre peut demander une vérification du quorum en cours de séance.

La constatation officielle d'une absence de quorum faite par le président met fin à la séance, rend invalide la poursuite des délibérations, mais n'affecte pas les décisions antérieures à cette constatation.

RÈGLE 26

Nécessité d'un secrétaire

Les délibérations d'une assemblée doivent être consignées par un secrétaire. Si le secrétaire est absent ou refuse d'agir, l'assemblée doit procéder à l'élection d'un secrétaire pour la séance en cours.

III

Le déroulement d'une séance

A • RÈGLES GÉNÉRALES

1. Caractère de l'assemblée

RÈGLE 27

Caractère souverain de l'assemblée

Dans les limites de sa juridiction, l'assemblée est souveraine.

Commentaires ▸ Une assemblée ne peut prétexter de son caractère souverain pour outrepasser ses droits.

RÈGLE 28

Caractère public ou non de l'assemblée

Les dispositions statutaires qui régissent une assemblée peuvent établir si celle-ci doit ou non siéger publiquement.

À défaut de telles dispositions, l'assemblée elle-même peut, en vertu d'un règlement de régie interne, décider du caractère public ou non de ses séances.

2. Règles relatives aux participants

RÈGLE 29

Principe des droits et devoirs des participants

Les droits et devoirs des participants dépendent des fonctions qu'ils exercent au sein de l'assemblée ou du titre en vertu duquel ils y participent.

RÈGLE 30

Droits et devoirs des participants relatifs au bon ordre de l'assemblée

Tous les participants ont le devoir de respecter l'ordre et le silence nécessaires au bon fonctionnement de l'assemblée. Les participants doivent donc éviter les apartés, les déplacements qui ne sont pas indispensables, les manifestations bruyantes, le désordre et les manœuvres d'obstruction. Les attaques contre les personnes ne sont jamais acceptables. Tout participant attaqué a le droit de se plaindre au président et de fournir à l'assemblée les explications qu'il juge nécessaires.
Nul n'a le droit de faire état des motifs personnels qu'il croit être à l'origine de la prise de position d'un participant.

RÈGLE 31

Droit de parole des participants

Un participant ne peut prendre la parole qu'après y avoir été autorisé par le président.
En principe, le président accorde l'exercice du droit de parole en suivant l'ordre dans lequel les participants ont demandé la parole en rapport avec la question sous considération.
La fréquence et la durée des interventions peuvent être limitées par l'assemblée.

Commentaires ▸ La règle voulant que le président accorde le droit de parole en suivant l'ordre des demandes doit être appliquée avec souplesse. Le président peut juger préférable de suivre un ordre différent qui réponde mieux à la nature des délibérations en cours. ▸ La présentation d'une nouvelle proposition (y compris un amendement et sous-amendement) amène le président à donner priorité à une nouvelle liste d'intervenants, la question prise en considération n'étant plus la même.

RÈGLE 32

Droits et devoirs du président

Le président fait, au début de la séance, les vérifications préliminaires usuelles; il ouvre la séance, appelle les points de l'ordre du jour, fournit ou demande qu'un autre participant fournisse les explications nécessaires à l'étude de chaque question; il donne la parole, décide de la recevabilité des propositions et des questions, veille au maintien de l'ordre, fait respecter les règlements et s'y soumet lui-même; il applique les sanctions prévues chaque fois qu'il le juge nécessaire, énonce clairement les propositions soumises à l'assemblée, appelle le vote, exprime, le cas échéant, un vote prépondérant; il proclame le résultat du vote, suspend l'assemblée pour une courte pause, lève la séance sur résolution de l'assemblée, se soumet au verdict de l'assemblée quand un membre de celle-ci en a appelé d'une de ses décisions et, d'une façon générale, s'applique à être impartial. Conjointement avec le secrétaire, il signe les procès-verbaux adoptés par l'assemblée.

Commentaires ▸ Lorsque le président a droit de vote en tant que membre de l'assemblée, il peut choisir de ne pas exercer ce droit lorsqu'il y a risque que son image d'impartialité en soit affectée.

RÈGLE 33

Droits refusés au président

Le président ne peut intervenir dans le débat: il ne peut donc ni soumettre, ni appuyer, ni défendre, ni combattre une proposition.
S'il veut intervenir à titre de membre de l'assemblée, le président doit abandonner la présidence, être remplacé par un autre participant dans sa fonction de président et n'y revenir qu'après son intervention.

Commentaires ▸ Une telle mesure paraît s'imposer en vertu des exigences d'impartialité que doit respecter le président d'assemblée. ▸ Dans les assemblées dont le nombre est restreint ou dans les assemblées où la présidence est assurée par un administrateur, on tolère cependant, pour des raisons d'efficacité, que le président, sans quitter la présidence, exprime son opinion et intervienne sur le fond du débat, voire qu'il présente ou appuie une proposition.

RÈGLE 34
Droits et devoirs du secrétaire

Le secrétaire est responsable de l'élaboration des projets d'ordre du jour et de la rédaction des procès-verbaux. Il prend ou fait prendre les notes nécessaires à la rédaction des procès-verbaux ; il soumet ceux-ci à l'assemblée pour adoption ; conjointement avec le président, il signe les procès-verbaux adoptés par l'assemblée, les garde en lieu sûr et en distribue des copies selon les décisions de l'assemblée sur ce point ; il lui appartient également d'en délivrer des extraits conformes. Il est le dépositaire des archives de l'organisme.

Il peut, s'il est membre de l'assemblée, soumettre ou appuyer des propositions, participer aux délibérations et voter.

RÈGLE 35
Droits des membres

Tout membre a le droit d'être convoqué à toute séance, d'y être présent et de ne s'en retirer que lorsque les règlements l'exigent ; il a le droit de soumettre, d'appuyer, de défendre ou de combattre toute proposition ; il a également le droit de poser toute question pertinente, d'intervenir dans le débat et de voter, sauf lorsque les règlements lui retirent ce droit sur un point particulier ; enfin, il a le droit d'être candidat à certains postes auxquels l'assemblée entend pourvoir. Toutefois, les membres d'une assemblée ne peuvent voter par procuration ni par anticipation.

Tout membre d'une assemblée peut poser une question de privilège dès qu'il estime que l'un de ses droits n'est pas respecté. Il peut soulever un point d'ordre s'il juge qu'un règlement de l'assemblée n'est pas observé ou que le bon ordre ou le décorum ne sont pas raisonnablement assurés. Le président juge de la question posée ou du point soulevé ; il peut y avoir appel de sa décision auprès de l'assemblée.

Dans les cas prévus aux règles 5, 6, 14, 22 et 85, tout membre qui s'estime lésé peut, dans les quinze jours suivant la tenue de la séance, adresser une plainte à l'assemblée ; par cette plainte, il peut même contester devant l'assemblée la validité de telle ou telle décision.

Commentaires ▸ Tout membre de l'assemblée peut poser une question de privilège ou soulever un point d'ordre entre les interventions de deux orateurs ou même au cours de l'intervention d'un orateur.

RÈGLE 36

Droits et devoirs de l'orateur

L'orateur ne doit s'adresser qu'au président ; il ne peut donc répondre à un autre membre ni s'adresser à celui-ci qu'en passant par le président. L'orateur doit rester dans les limites du sujet et du temps alloué aux interventions et il doit respecter les règlements. L'orateur ne peut être interrompu que par le président ou par un membre qui soulève une question de privilège ou un point d'ordre, qui en appelle de la décision du président ou qui demande le huis clos ou la reconsidération d'une question.
L'orateur ne peut faire valoir son opinion qu'une seule fois sur une même proposition, sauf si l'assemblée lui accorde le privilège d'intervenir une deuxième fois. Cette dernière règle ne s'applique pas au Comité plénier.
Tout orateur peut intervenir une deuxième fois et même davantage pour répondre à une question ou pour en poser une.

Commentaires ▸ Le président doit déclarer irrecevable toute question qui lui paraît être une prise de position déguisée de la part d'un membre qui est déjà intervenu une première fois sur une question débattue. ▸ Dans une assemblée restreinte, on applique avec souplesse la règle voulant que l'orateur ne s'adresse qu'au président et n'intervienne qu'une seule fois sur une question.

RÈGLE 37

Droits des invités

Les invités n'ont de droits que ceux que leur concède l'assemblée qui, à tout moment, peut les leur retirer.
En règle générale, l'assemblée leur accorde le droit de poser des questions, de répondre à des interrogations et même d'intervenir dans le débat. Ils n'ont cependant pas le droit de vote.

Commentaires ▸ Une personne peut être invitée à titre de simple observateur ou d'observateur d'office ; elle peut ou non obtenir le droit de parole selon ce qu'en décide l'assemblée. Les coutumes et les autorisations tacites n'engendrent pas de droits acquis chez les invités.

RÈGLE 38
Droits du public

Quand il s'agit d'une séance publique, les personnes qui se présentent à la réunion ont le droit d'assister aux délibérations et de prendre connaissance des documents soumis à la considération des membres. L'assemblée peut en outre leur accorder le droit de parole. Par contre, l'assemblée peut décréter le huis clos.

RÈGLE 39
Utilisation de certains appareils

L'utilisation d'appareils photographiques, cinématographiques ou enregistreurs et d'appareils similaires doit faire l'objet d'une autorisation explicite de la part de l'assemblée.

Commentaires ▸ Le caractère public d'une l'assemblée n'entraîne pas qu'on doive y admettre l'utilisation d'appareils photographiques, cinématographiques ou enregistreurs et d'appareils similaires.

RÈGLE 40
Sanctions

Quand un participant contrevient gravement aux règles, spécialement à celles qui ont pour objet le maintien de l'ordre, le président peut lui imposer une sanction ou même plusieurs sanctions successives, si la situation l'exige. Dans un ordre croissant de rigueur, ces sanctions possibles sont : l'ordre de retirer certaines paroles, la suspension du droit de parole pour une durée limitée, l'ordre de quitter la salle, l'expulsion par la force. Toute sanction décrétée par le président peut faire l'objet d'un appel auprès de l'assemblée.

Commentaires ▸ Il est souhaitable que l'imposition d'une sanction grave soit précédée d'un avertissement.

3. Règles relatives aux points de l'ordre du jour*

RÈGLE 41
Adoption de l'ordre du jour

L'assemblée étant ouverte, l'ordre du jour doit être adopté à la majorité simple, sur proposition de la personne (généralement le secrétaire) ou du Comité qui en a assuré l'élaboration.
Le projet d'ordre du jour d'une séance ordinaire peut être amendé à la majorité simple.
Après son adoption, l'ordre du jour ne peut être modifié qu'avec l'accord des deux tiers des votants.
La modification du projet d'ordre du jour ou de l'ordre du jour adopté peut prendre les formes suivantes : ajout ou retrait d'un point, interversion des points de l'ordre du jour, inscription d'une question comme point spécial (c'est-à-dire indication du moment où cette question sera traitée), inscription de questions aux affaires diverses.
Le projet d'ordre du jour d'une séance extraordinaire ne peut être amendé ni modifié.

Commentaires ▸ L'ordre du jour soumis par le secrétaire ou par le Comité de l'ordre du jour peut être expliqué brièvement. ▸ Il faut exiger un large consensus pour que l'assemblée puisse modifier son ordre du jour. Des règles de procédure trop relâchées sur ce point conduisent facilement à la confusion et peuvent encourager des manœuvres peu démocratiques.

* Seuls font l'objet de règles particulières les points suivants de l'ordre du jour tel qu'énumérés à la règle 2 : ordre du jour ; adoption du procès-verbal ; affaires découlant du procès-verbal ; correspondance ; période d'informations ; période de questions.

RÈGLE 42

Annonce d'inscription aux affaires diverses

C'est au moment de l'adoption de l'ordre du jour que le président doit demander aux participants d'indiquer les questions à inscrire aux affaires diverses. Il inscrit ces questions dans l'ordre de leur demande d'inscription.

Commentaires ▸ Les affaires diverses doivent être des affaires d'importance mineure. ▸ Un membre ne peut demander l'inscription d'une question aux affaires diverses que s'il l'annonce au point « Adoption de l'ordre du jour », à moins d'obtenir le consentement des deux tiers, puisqu'il s'agit alors d'une modification de l'ordre du jour. ▸ Il revient au président, sauf appel à l'assemblée, de juger si une question présentée aux affaires diverses est une affaire d'importance mineure.

RÈGLE 43

Points spéciaux à l'ordre du jour

Quand le président constate qu'arrive le moment fixé pour la discussion d'un point spécial inscrit comme tel à l'ordre du jour, toute autre délibération est suspendue et l'assemblée procède à la considération du point spécial.

Commentaires ▸ Il peut arriver que la discussion sur un point spécial doive elle-même être suspendue pour la considération d'un autre point spécial inscrit à l'ordre du jour. ▸ Seule l'assemblée, aux deux tiers des voix, peut alors décider de reporter à plus tard la considération du nouveau point spécial.

RÈGLE 44

Adoption du procès-verbal

L'adoption du procès-verbal de la réunion précédente est proposée par le secrétaire. Une proposition de modification n'est recevable que si elle vise à refléter plus fidèlement une délibération.

Commentaires ▸ Le président et le secrétaire signent le procès-verbal adopté. Le secrétaire y indique la date et le numéro de la délibération d'adoption et le dépose aux archives. ▸ Il peut arriver que l'assemblée considère plus d'un procès-verbal sous ce point, dont le libellé est alors adapté en conséquence. ▸ Le président ou tout membre de l'assemblée peut demander que la proposition de modification du procès-verbal soit soumise par écrit. Quand on demande une modification du procès-verbal, il ne suffit pas d'en donner l'idée générale : il faut indiquer par quels mots on veut modifier le texte. ▸ Dans le cas où l'adoption du procès-verbal des délibérations tenues à huis clos appelle des commentaires, des questions ou des modifications, le président doit décréter le huis clos.

RÈGLE 45
Affaires découlant du procès-verbal

À ce point de l'ordre du jour, on fait état des suites qui ont été données aux décisions prises à la dernière séance. Les membres peuvent alors poser toute question jugée pertinente.
Au moment de la considération de ce point, le président ne peut recevoir de propositions sauf celles de félicitations et de remerciements et celles qui demandent que les suites appropriées soient données aux décisions prises par l'assemblée.

Commentaires ▸ À ce point de l'ordre du jour, il est interdit de revenir sur une question dont l'assemblée a disposé à la réunion précédente. Il est cependant possible de demander que la question soit inscrite à l'ordre du jour de la séance en cours ou de la prochaine séance.

RÈGLE 46
Correspondance

À ce point de l'ordre du jour, le secrétaire communique le contenu des lettres dont l'objet relève de la juridiction de l'assemblée à moins que ce contenu ne soit diffamatoire. Les membres peuvent alors poser toute question jugée pertinente.

Commentaires ▸ Tout membre peut également proposer que le secrétaire donne lecture de la totalité ou d'une partie de la correspondance. Si l'assemblée est informée de la nomination ou de la démission d'une personne, tout membre peut présenter une motion de félicitations ou de remerciements. Toute autre proposition est irrecevable au moment de la considération de ce point.

RÈGLE 47
Période d'informations

À ce point de l'ordre du jour, seules peuvent être fournies les informations relevant de la juridiction de l'assemblée que l'on ne peut donner à un moment plus opportun de la séance.

Si des documents de simple information sont déposés, il est loisible aux membres de poser à leur propos toute question pertinente.

Commentaires ▸ La durée de cette période d'informations et de questions s'y rapportant peut être limitée de deux façons : par règlement de régie interne ; par décision de l'assemblée prise au moment de l'adoption de l'ordre du jour ou au début de la période d'informations elle-même.

RÈGLE 48
Période de questions

En plus des questions que les membres peuvent poser sur les affaires découlant du procès-verbal, sur la correspondance et sur les informations, l'assemblée peut prévoir une période de questions visant à permettre aux membres de poser toute question d'intérêt général sur des sujets relevant de la juridiction de l'assemblée.

Commentaires ▸ La période de questions peut être limitée de la même manière que la période d'informations.

B • RÈGLES PARTICULIÈRES

1. Les propositions

a) Principes généraux

RÈGLE 49

Proposition : nécessité

Une assemblée ne peut délibérer que si elle est saisie d'une proposition. Si elle n'a pas devant elle une proposition relative au point à l'étude, l'assemblée doit se transformer en comité plénier en vue de la formulation d'une proposition ou passer à la considération du point suivant.

Commentaires ▸ Un point inscrit à l'ordre du jour doit faire l'objet d'une proposition visant à en disposer dans un sens ou dans l'autre, sans quoi la délibération n'est pas possible. ▸ En pratique, il arrive souvent qu'une assemblée discute d'un point inscrit à l'ordre du jour avant d'être saisie d'une proposition. On considère alors que l'assemblée s'est implicitement transformée en comité plénier. ▸ On appelle « comité plénier » une assemblée délibérante qui étudie une question, à la façon d'un comité, en vue de formuler une ou des propositions lui permettant de disposer d'un point à l'ordre du jour.

RÈGLE 50

Moment de présentation d'une proposition

À la condition d'avoir obtenu le droit de parole, un membre de l'assemblée peut présenter n'importe quelle proposition.
Selon la nature de la proposition, il peut le faire soit à son tour, soit en interrompant l'ordre des orateurs inscrits, soit en interrompant l'orateur.
Toute proposition, sauf l'amendement, le sous-amendement, la proposition de vote immédiat et la proposition de mise en candidature de membres de comités, permet l'interruption de l'ordre des orateurs inscrits.
Seules les propositions suivantes permettent l'interruption de l'orateur : question de privilège, appel de la décision du président, demande de huis clos, reconsidération d'une question.

Commentaires ▸ Certains codes de procédures (par exemple *Les assemblées délibérantes* de Claude Béland) permettent que les amendements, les sous-amendements et le vote immédiat soient proposés entre les interventions de deux orateurs. Cette méthode qui, à première vue, risque de perturber le cours normal de la discussion, peut néanmoins permettre d'accélérer le rythme des décisions de l'assemblée en évitant que des membres qui ont demandé la parole avant le proposeur de telles propositions n'interviennent inutilement sur la proposition à l'étude. ▸ Cependant, cette méthode peut être d'un maniement difficile lorsque tous les membres d'une assemblée n'ont pas une égale connaissance des règles de procédure.

RÈGLE 51

Proposition : formalité de présentation

Une proposition ne se trouve devant l'assemblée que lorsqu'elle a été présentée et, sauf exception, appuyée, puis reçue par le président. N'ont pas besoin d'être appuyées les propositions suivantes :

- toute proposition soumise par un comité faisant rapport de ses travaux ;
- la proposition de mise par écrit.

Commentaires ▸ Celui qui présente une proposition est appelé « proposeur », celui qui l'appuie est appelé « second ».

RÈGLE 52

Proposition : prise en considération

L'assemblée ne peut considérer qu'une proposition à la fois. Dès qu'une proposition est reçue par le président, elle devient la question sous considération et l'assemblée doit en disposer, à moins qu'une proposition ayant priorité sur cette dernière ne soit dûment soumise.

RÈGLE 53

Façons de disposer d'une proposition

L'assemblée peut disposer d'une proposition selon l'une ou l'autre des façons suivantes :

- en l'adoptant,
- en la rejetant,
- en la renvoyant à un comité,
- en la remettant de façon provisoire ou indéterminée.

RÈGLE 54
Proposition : débat et vote

Sauf mention contraire, toute proposition est sujette à débat et doit être soumise à un vote.

Commentaires ▸ Il est des cas où le président peut considérer que l'unanimité est acquise et donc que la proposition à l'étude est adoptée si personne ne demande la mise aux voix.

RÈGLE 55
Proposition :
droit de réplique du proposeur

Avant l'appel du vote par le président, le proposeur a le droit de rappeler les motifs invoqués à l'appui de sa proposition ou de répondre aux objections formulées à l'encontre de celle-ci.

Le proposeur peut se prévaloir de ce droit, même si l'assemblée a adopté une proposition de vote immédiat.

RÈGLE 56
Proposition : retrait

Dès qu'une proposition se trouve devant l'assemblée, elle devient la propriété de l'assemblée et ne peut être retirée sans le consentement de celle-ci.

Commentaires ▸ Les conditions et modalités de retrait d'une proposition sont explicitées à la règle 71.

b) Classification et ordre de priorité des propositions

RÈGLE 57
Propositions : catégories

Selon leur nature, les propositions peuvent être rangées dans l'une ou l'autre des catégories suivantes : propositions privilégiées, propositions incidentes, propositions dilatoires, propositions ordinaires, propositions spéciales.

RÈGLE 58

Propositions privilégiées : nature et nomenclature

Les propositions privilégiées sont celles qui, par un aspect ou l'autre, concernent directement ou indirectement les droits de l'assemblée ou de ses membres. De ce fait, elles peuvent survenir à n'importe quel moment et doivent alors être traitées immédiatement ; elles ont pour effet d'affecter le déroulement de la séance.

Entrent dans cette catégorie les propositions suivantes (par ordre de préséance) :

- levée de la séance,
- fixation du moment de la poursuite de la séance,
- ajournement,
- suspension de la séance (relâche),
- question de privilège,
- appel de la décision du président,
- modification de l'ordre du jour adopté.

RÈGLE 59

Propositions incidentes : nature et nomenclature

Les propositions incidentes sont celles qui surviennent à l'occasion de l'étude d'autres propositions. Elles servent à arrêter certaines modalités de discussion ou de vote de la question sous considération.

Entrent dans cette catégorie les propositions suivantes (par ordre de préséance) :

- retrait d'une proposition,
- demande de huis clos,
- imposition d'une limite de temps,
- lecture d'un document,
- mise par écrit d'une proposition,
- scission d'une proposition,
- suspension des règles,
- vote secret.

RÈGLE 60

Propositions dilatoires : nature et nomenclature

Les propositions dilatoires sont celles qui affectent le déroulement de la discussion d'une question ou qui modifient les conditions de poursuite de cette discussion. Elles ont pour effet soit de reporter la discussion, soit d'y mettre fin brusquement, soit d'exclure le vote de la question sous considération.

Entrent dans cette catégorie les propositions suivantes (par ordre de préséance) :

- remise provisoire d'une question,
- proposition de vote immédiat,
- remise à un autre moment ou à une date fixe,
- renvoi à un comité,
- renvoi à une date indéterminée.

RÈGLE 61

Propositions ordinaires : nature et nomenclature

Les propositions ordinaires sont celles qui ont spécifiquement trait aux points inscrits à l'ordre du jour et qui visent à disposer de ceux-ci.

Entrent dans cette catégorie les propositions suivantes (par ordre de préséance :

- sous-amendement,
- amendement,
- proposition principale.

RÈGLE 62

Propositions spéciales : nature et nomenclature

Les propositions spéciales sont ainsi dénommées en vertu de leur caractère exceptionnel ou occasionnel et à cause des règles particulières qui les régissent.

Entrent dans cette catégorie les propositions suivantes :

- reconsidération d'une question,
- mise en candidature de membres de comités.

RÈGLE 63

Propositions : ordre de priorité

Si l'on exclut les propositions spéciales qui sont considérées sans égard à la priorité, l'ordre de priorité entre les propositions dépend d'abord de la catégorie à laquelle elles appartiennent et ensuite du rang qu'elles ont à l'intérieur de leur catégorie respective.

Ainsi, d'une part, les propositions privilégiées ont priorité sur toute autre catégorie de propositions ; les propositions incidentes ont priorité sur les propositions dilatoires et ordinaires ; les propositions dilatoires ont priorité sur les propositions ordinaires.

D'autre part, à l'intérieur d'une même catégorie, la proposition de rang supérieur a priorité sur la proposition de rang inférieur ; par exemple, dans le groupe des propositions privilégiées, la proposition de levée de la séance a priorité sur celle de la fixation du moment de la poursuite d'une séance, la proposition d'ajournement a priorité sur la proposition de suspension de la séance, et ainsi de suite. Le tableau qui figure aux dernières pages du guide présente les diverses propositions selon leur ordre de priorité.

Commentaires ▸ L'ordre de priorité dont il s'agit est celui de la mise aux voix des propositions ; ainsi, un sous-amendement a priorité sur un amendement et celui-ci, sur la proposition principale.

c) Règles relatives aux propositions de chaque catégorie

I • LES PROPOSITIONS PRIVILÉGIÉES

RÈGLE 64

Proposition de levée de la séance

On met fin à une séance par une proposition de levée de celle-ci. Cette proposition n'est pas sujette à débat. Normalement, elle n'est faite que lorsque l'assemblée a disposé de tous les points de son ordre du jour. Elle peut cependant être faite, même si l'assemblée n'a pas disposé de tous les points inscrits à l'ordre du jour ; en ce cas, son adoption exige l'accord des deux tiers des votants.

Commentaires ▸ L'on se rappellera que la constatation faite par le président de l'absence de quorum met fin à une séance.

RÈGLE 65

Proposition de fixation du moment de la poursuite de la séance

La proposition de fixation du moment de la poursuite de la séance vise à déterminer, au début de la séance ou au cours de celle-ci, la date à laquelle se poursuivra cette séance dont on prévoit l'ajournement et non la levée; seule la date à laquelle l'assemblée ajournera est alors sujette à débat. En cas de rejet, une telle proposition ne peut être présentée à nouveau que si d'autres questions ont été considérées entre-temps.

Commentaires ▸ L'adoption d'une telle proposition permet d'informer de la date de la poursuite de la séance les membres de l'assemblée qui doivent se retirer avant l'ajournement.

RÈGLE 66

Proposition d'ajournement

La proposition d'ajournement de la séance vise à remettre la poursuite de la séance à une date ultérieure qui doit être précisée. Cette proposition n'est pas sujette à débat, sauf en ce qui a trait à la date de la poursuite de la séance. Dans la mesure où les délais le permettent, l'assemblée doit être à nouveau convoquée avant de pouvoir poursuivre ses travaux. Lorsque les délais ne permettent pas une nouvelle convocation, les membres absents doivent être avisés, par les moyens appropriés, du moment et du lieu où se poursuivra la séance. L'assemblée reprend ses travaux au point où elle les avait laissés; l'ordre du jour demeure le même et ne peut être modifié qu'avec l'appui des deux tiers des votants.

RÈGLE 67

Proposition de suspension de la séance (relâche)

La proposition de suspension de la séance vise à arrêter les délibérations pendant une courte période pour les reprendre au même point au cours de la même journée. Cette proposition n'est pas sujette à débat, sauf en ce qui a trait à la durée de la suspension.

RÈGLE 68

Proposition découlant d'une question de privilège

La proposition découlant d'une question de privilège vise à permettre à un membre d'une assemblée de faire respecter un droit auquel il a été porté atteinte.

Cette proposition peut être présentée en tout temps, mais elle ne peut être reçue par le président que si celui-ci conclut qu'il y a effectivement eu atteinte à l'un ou l'autre des droits de ce membre de l'assemblée. Elle n'est pas sujette à débat et ne peut être amendée.

Commentaires ▸ La personne qui désire poser une question de privilège peut le faire soit entre les interventions de deux orateurs, soit au cours de l'intervention d'un orateur. ▸ Les droits qui peuvent faire l'objet d'une telle proposition ont trait à la dignité des personnes, au décorum ou aux conditions dans lesquelles se déroule la séance (désordre, conditions matérielles insatisfaisantes, etc.). ▸ Le teneur de la proposition découlant d'une question de privilège varie selon la nature du droit en cause. Un membre pourra, par exemple, proposer la suspension de la séance dans le cas où les conditions matérielles entravent gravement le déroulement de celle-ci.

RÈGLE 69

Proposition d'appel de la décision du président

Tout membre peut en appeler auprès de l'assemblée d'une décision prise par le président à propos de l'application ou de l'interprétation des règlements. Une telle proposition n'est pas sujette à débat.

Commentaires ▸ L'assemblée est souveraine ; même son président ne peut la contraindre. L'appelant peut seul intervenir pour fournir les motifs de son appel, et le président, s'il ne l'a pas fait en rendant sa décision, peut donner les motifs de celle-ci.

RÈGLE 70

Proposition de modification de l'ordre du jour adopté

La proposition de modifier, au cours de la séance, l'ordre du jour déjà adopté a pour but d'intervertir l'ordre des points inscrits, d'ajouter ou de retirer des points ou de déterminer comme spécial un point inscrit. Cette proposition n'est recevable qu'au cours d'une séance ordinaire ; son adoption exige l'accord des deux tiers des votants.

Commentaires ▸ L'objection à la considération d'une question constitue une proposition de modification de l'ordre du jour adopté et doit être traitée comme telle.

II • LES PROPOSITIONS INCIDENTES

RÈGLE 71
Proposition de retrait d'une proposition

La proposition de retrait d'une proposition vise à mettre fin à la discussion lorsque l'assemblée estime que la proposition a été faite par erreur ou qu'il devient évident au cours de la discussion qu'une autre proposition serait préférable. La proposition de retrait ne peut être reçue si le proposeur ou le « second » de la proposition visée s'y oppose. Cette proposition n'est pas sujette à débat.

RÈGLE 72
Proposition de huis clos

La proposition de huis clos vise à exclure de la salle des délibérations d'une assemblée qui siège habituellement publiquement toute personne qui n'est pas un membre de l'assemblée, ou à exclure un invité auquel le droit d'assister à la séance a été reconnu.

Commentaires ▸ Il revient à chaque assemblée d'établir par une règle de régie interne si, de façon habituelle, elle siège publiquement ou non. ▸ Toute assemblée qui d'habitude siège publiquement peut décréter le huis clos lorsque les circonstances l'exigent. Le président doit alors veiller à l'application des dispositions de la règle 21.

RÈGLE 73
Proposition d'imposition d'une limite de temps

La proposition d'imposition d'une limite de temps vise à limiter à l'avance ou en cours de débat la durée de chaque intervention ou la durée des délibérations sur une question ou encore à modifier la limite de temps déjà imposée. Elle requiert l'appui des deux tiers des votants.

Commentaires ▸ Lorsqu'une proposition visant à limiter la durée du débat a été adoptée, le président doit, au moment fixé dans la proposition, appeler le vote sur la question sous considération.

RÈGLE 74

Proposition de lecture d'un document

Tout membre peut exiger durant la séance d'une assemblée que le secrétaire lise tout document pertinent à la délibération en cours. Cette proposition n'est pas sujette à débat.

RÈGLE 75

Proposition de mise par écrit d'une proposition

Tout membre peut exiger qu'une proposition soit mise par écrit. Cette proposition est considérée comme adoptée sans débat et sans vote.

Commentaires ▸ Même si la mise par écrit de certains types de proposition peut être inutile, il demeure important d'offrir cette possibilité pour toute proposition.

RÈGLE 76

Proposition de scission d'une proposition

La proposition visant à scinder une proposition en propositions distinctes ne peut être reçue par le président que si chacune de ces propositions forme un tout cohérent. Cette proposition n'est pas sujette à débat.

Commentaires ▸ Si chacune des nouvelles propositions ne forme pas un tout cohérent, l'assemblée doit alors procéder par amendement.

RÈGLE 77

Proposition de suspension des règles

Une assemblée peut suspendre temporairement l'application de l'une de ses règles de procédure de délibération. Cette proposition n'est pas sujette à débat. Le consentement unanime des votants est exigé pour l'adoption d'une telle proposition.

Commentaires ▸ C'est avec prudence et même avec une certaine réticence qu'une assemblée accepte de recourir à la procédure de suspension des règles.

RÈGLE 78

Proposition de vote secret

Tout membre peut demander que l'on procède par vote secret, c'est-à-dire par voie de scrutin. Cette proposition n'est pas sujette à débat.

III • LES PROPOSITIONS DILATOIRES

RÈGLE 79
Proposition de remise provisoire d'une question

La proposition de remise provisoire d'une question vise à écarter temporairement la considération d'une question dont l'assemblée pourra être saisie de nouveau sur proposition en ce sens. La proposition de remise provisoire d'une question n'est pas recevable lorsqu'elle porte sur les questions suivantes : question de privilège, appel de la décision du président, reconsidération d'une question, modification du procès-verbal. Cette proposition n'est pas sujette à débat.

Commentaires ▸ L'adoption d'une telle proposition permet à l'assemblée de disposer jusqu'à nouvel ordre d'une proposition sous considération, sans se prononcer sur le fond de la question. ▸ Cette proposition se distingue de la proposition de renvoi à une date indéterminée par le fait qu'elle n'est pas sujette à débat. ▸ Cette proposition est également connue sous le vocable de « dépôt sur le bureau ».

RÈGLE 80
Proposition de vote immédiat

La proposition de vote immédiat vise à mettre fin à la discussion de la question sous considération, sous réserve du droit de réplique accordé au proposeur de la proposition débattue. Cette proposition n'est pas sujette à débat et requiert l'appui des deux tiers des votants.

Commentaires ▸ Le but de cette procédure est de permettre à une assemblée de mettre fin à un débat qui se prolonge inutilement. Toutefois, comme elle a pour effet de limiter le droit de parole des membres de l'assemblée, on ne doit y avoir recours qu'avec réserve. Cette proposition est également connue sous le nom de « question préalable ».

RÈGLE 81
Proposition de remise à un autre moment ou à une date fixe

La proposition de remise à un autre moment ou à une date fixe vise à remettre la discussion d'une question à une date déterminée jugée plus opportune. Seules l'opportunité de la remise et la date à laquelle est faite cette remise peuvent être débattues ; la discussion ne peut donc porter sur le fond de la question qui fait l'objet de la proposition de remise.

Commentaires ▸ Les raisons que l'on peut invoquer pour justifier une proposition de remise à un autre moment ou à une date fixe peuvent être la nécessité d'obtenir des renseignements ou le dépôt de documents, le souci d'assurer la présence de telle ou telle personne ou de tel ou tel groupe, la convenance de retarder une décision à cause de circonstances particulières.

RÈGLE 82

Proposition de renvoi à un comité

La proposition de renvoi à un comité vise à confier l'étude de la question sous considération soit au Comité plénier, soit à un comité permanent de l'assemblée, soit à un comité spécial dont la proposition doit alors préciser le mandat et la composition. Le renvoi peut également être fait à un organisme ou bien à une ou à plusieurs personnes.

Commentaires ▸ Cette proposition permet à une assemblée de faire une étude plus approfondie de la question lorsqu'elle se rend compte qu'elle ne dispose pas de tous les éléments nécessaires à une prise de décision éclairée. ▸ Lorsqu'il y a renvoi de la question au Comité plénier, l'assemblée elle-même se transforme en comité. La règle 88 décrit la nature et le fonctionnement du Comité plénier. ▸ La transformation de l'assemblée en Comité plénier donne à l'assemblée une plus grande liberté de discussion en permettant aux membres d'intervenir plus d'une fois sur la question à l'étude.

RÈGLE 83

Proposition de renvoi à une date indéterminée

La proposition de renvoi à une date indéterminée vise à mettre fin à la considération d'une question jusqu'au moment où l'assemblée jugera opportun de traiter à nouveau de cette question. Le débat ouvert par une telle proposition peut porter non seulement sur le renvoi lui-même, mais aussi sur la question que l'on veut renvoyer, pourvu que celle-ci admette le débat.

Commentaires ▸ Comme la proposition de remise provisoire, une telle proposition permet à l'assemblée de disposer d'une proposition sous considération sans se prononcer sur le fond de la question, tout en donnant à ses membres la possibilité de faire valoir leur point de vue.

IV • LES PROPOSITIONS ORDINAIRES

RÈGLE 84
Proposition d'amendement et proposition de sous-amendement

Les propositions visant à modifier le contenu d'une autre proposition en biffant, en ajoutant ou en remplaçant certains mots s'appellent amendements. L'amendement est irrecevable s'il est étranger au sujet de la proposition qu'il vise ou s'il a pour effet de changer le type de la proposition considérée, soit, par exemple, de faire d'une proposition de renvoi à une date indéterminée une proposition de renvoi à un comité.
Tout amendement peut être lui-même amendé selon les mêmes règles. Il s'agit alors d'un sous-amendement.
Un sous-amendement ne peut être amendé.

Commentaires ▸ L'exemple donné ci-dessus illustre ce qu'il faut entendre par l'expression « type de proposition ». ▸ Au lieu de présenter un amendement ou un sous-amendement, tout membre d'une assemblée peut annoncer qu'il présentera, si la proposition à l'étude est rejetée, une autre proposition principale, un autre amendement ou un autre sous-amendement portant sur la même question et dont il peut donner le texte. Il n'est pas permis d'accepter plus d'un sous-amendement à la fois. ▸ La contre-proposition n'existe pas comme telle ; si un membre de l'assemblée n'est pas d'accord avec la proposition à l'étude, il n'a qu'à voter contre ou à présenter un amendement formulant une intention différente ou même contraire ; toutefois, un amendement équivalant à la négation de la proposition principale est irrecevable. Ainsi, un amendement visant à remplacer le mot « féliciter » par le mot « blâmer » est recevable ; celui qui viserait à remplacer « féliciter » par « ne pas féliciter » n'est pas recevable.

RÈGLE 85
Proposition principale

Une proposition principale est l'énoncé sur lequel l'assemblée est appelée à se prononcer pour disposer d'un point à l'étude. Elle est recevable en séance si elle porte sur la question inscrite à l'ordre du jour.
Toutefois, une proposition de modification des règlements ne peut être faite séance tenante. L'avis d'une telle proposition, accompagné du texte

de la modification, doit être communiqué aux membres en même temps que l'avis de convocation de la séance. À défaut d'un tel avis, tout membre peut se prévaloir des dispositions de la règle 35.

Commentaires ▸ Une assemblée délibérante est régulièrement saisie de rapports par ses comités permanents ou spéciaux. Ces rapports peuvent comporter une ou plusieurs propositions ; chacune de celles-ci constitue une proposition principale.

V • LES PROPOSITIONS SPÉCIALES

RÈGLE 86

Proposition de reconsidération d'une question

La demande de reconsidération d'une question ou la présentation d'un avis de motion en ce sens doit être faite au cours de la même séance de l'assemblée ou au cours des délibérations sur cette même question, si l'étude de la question se poursuit pendant plus d'une séance.

Est autorisé à faire une telle demande ou à présenter un tel avis tout membre de l'assemblée, lorsqu'il s'est agi d'un vote secret, ou tout membre ayant voté du côté gagnant, lorsqu'il s'est agi d'un vote ouvert ; en ce dernier cas, la proposition doit être appuyée par un membre ayant également voté du côté gagnant.

L'avis d'une telle motion peut être fait en tout temps.

Une telle proposition devient la question sous considération dès qu'elle est reçue par le président. À ce moment, le président doit indiquer à l'assemblée quelles décisions, en plus de celle qui fait l'objet de la reconsidération, seront remises en question si la proposition de reconsidération est adoptée.

Une telle proposition est sujette ou non à débat selon que l'était ou non la proposition sur laquelle elle porte.

Commentaires ▸ Il va de soi que la décision du président relative aux effets de l'adoption de la proposition de reconsidération peut, comme à l'ordinaire, faire l'objet d'un appel auprès de l'assemblée. ▸ L'inscription à l'ordre du jour d'une autre séance d'une proposition contraire à une décision prise antérieurement ne constitue pas une reconsidération d'une question.

RÈGLE 87

Proposition de mise en candidature de membres de comités

La proposition de mise en candidature vise à présenter des candidats à titre de membres éventuels de comités.

Une telle proposition peut être faite par le Comité de mise en candidature et par tout membre de l'assemblée.

Avant de déclarer recevable une proposition de mise en candidature, le président doit vérifier si le candidat est éligible et, dans le cas où la proposition n'est pas faite par le Comité de mise en candidature, si cette proposition est appuyée.

Le nombre de propositions de mise en candidature n'est pas limité. Le président ou le président d'élection ne peut clore les mises en candidature que lorsque aucune autre proposition n'est faite ; par ailleurs, il ne peut recevoir une proposition visant à remplacer par un autre le nom d'un candidat présenté.

Une telle proposition n'admet pas le débat, mais le membre qui présente un candidat peut exposer brièvement les mérites de la personne mise en candidature.

Commentaires ▸ Les membres d'une assemblée peuvent proposer eux-mêmes leur candidature. ▸ Une assemblée peut juger utile d'inclure dans son règlement de régie interne la règle exigeant, pour que la proposition soit recevable, l'acceptation de la personne mise en candidature.

2. Le Comité plénier

RÈGLE 88

Nature et fonctionnement du Comité plénier

On appelle « Comité plénier » une assemblée délibérante qui étudie une question à la façon d'un comité, en vue de formuler une ou des propositions lui permettant de disposer d'un point à l'ordre du jour.

Le Comité plénier doit se désigner un président et un secrétaire, qui peuvent être les mêmes que ceux de l'assemblée.

Le Comité plénier décide si le secrétaire doit dresser un procès-verbal des discussions ou si le rapport du Comité plénier en tiendra lieu.

Les règles de procédure de l'assemblée s'appliquent au Comité plénier ; toutefois, les membres peuvent intervenir plus d'une fois sur la question à l'étude.

Le Comité plénier est tenu de soumettre à l'assemblée un rapport sur la question qui lui a été déférée. Ce rapport doit dégager de façon claire et succincte les résultats de la discussion et permettre à l'assemblée de disposer de la question à l'étude.

3. La nomination et l'élection de membres de comités

RÈGLE 89
Président et secrétaire d'élection

Le président et le secrétaire de l'assemblée agissent comme président et secrétaire d'élection.
Si le président ou le secrétaire de l'assemblée sont eux-mêmes mis en candidature, l'assemblée doit se choisir un président ou un secrétaire d'élection.
L'assemblée peut désigner des scrutateurs pour assister le secrétaire d'élection.

RÈGLE 90
Procédure de nomination de membres de comités

Aux fins de la nomination des membres de comités, l'assemblée peut procéder par voie de proposition de mise en candidature faite en séance ou, si les règlements le prévoient, confier à un comité, généralement appelé « Comité de mise en candidature », le mandat de proposer à l'assemblée des candidats pour les postes à pourvoir.
À cette fin, le Comité peut solliciter des suggestions ; il doit vérifier l'éligibilité et l'acceptation des personnes qu'il entend proposer. Son rapport est envoyé aux membres de l'assemblée avant la séance.

Commentaires ▸ Le rapport du Comité doit être envoyé aux membres de l'assemblée avant la séance afin de leur permettre, s'ils le jugent à propos, de présenter d'autres candidatures que celles qui sont soumises par le Comité. ▸ Des questions d'information sur le mode de votation ou sur les candidats et des questions de procédure sur l'éligibilité d'un candidat peuvent alors être posées.

RÈGLE 91

Mode d'élection de membres de comités

Si le nombre des candidats proposés est égal ou inférieur au nombre de postes à pourvoir, le président ou le président d'élection les déclare élus sans vote. Sinon, l'élection des candidats se fait par scrutin et, à moins de décision contraire, poste par poste.

L'assemblée peut décider, sur proposition en ce sens, de procéder par vote à main levée.

4. Le vote

RÈGLE 92

Mise aux voix d'une proposition

À la fin du débat, le président relit la proposition et appelle le vote. Dans certains cas, le président peut considérer que l'unanimité est acquise et donc que la proposition à l'étude est adoptée, à moins qu'un membre ne demande alors la mise aux voix.

Le président ne peut appeler l'assemblée au vote que si tous les membres désirant se prononcer ont pris la parole, sauf pour les propositions qui ne sont pas sujettes à débat ou dans les cas où l'assemblée a adopté une proposition visant à clore la discussion.

RÈGLE 93

Modes de votation

Le vote se prend à main levée, à moins que l'assemblée n'ait adopté un mode différent.

Commentaires ▸ Les autres modes peuvent être: se lever, exprimer son vote sur appel du président ou du secrétaire, remplir un bulletin (scrutin).

RÈGLE 94

Vote secret

Le vote secret se fait par scrutin sur des bulletins dont le décompte est confié au secrétaire ou à des scrutateurs nommés par l'assemblée.

RÈGLE 95

Interdiction du vote par anticipation et du vote par procuration

À moins d'une disposition contraire du règlement de régie interne, le vote par anticipation et le vote par procuration ne sont pas autorisés.

Commentaires ▸ L'interdiction du vote par anticipation et du vote par procuration se justifie par le fait que le vote doit normalement être pris à la lumière des discussions en séance, de façon à tenir compte de l'apport spécifique de chaque membre de l'assemblée.

RÈGLE 96

Majorité requise pour l'adoption d'une proposition

La majorité simple ou majorité relative (c'est-à-dire la pluralité des voix) exprime la décision de l'assemblée, sauf dans les cas où des règles spécifient explicitement qu'une autre majorité est requise.
Une abstention est un refus de se prononcer et non un vote négatif. On ne tient pas compte des abstentions dans le calcul de la majorité.

Commentaires ▸ Dans certains cas, la majorité requise est des deux tiers ou des trois quarts des voix exprimées en faveur de la proposition ou contre la proposition. En outre, certains règlements exigent une majorité donnée des membres de l'organisme ; l'abstention tout comme l'absence d'un membre équivalent alors à un vote négatif. ▸ L'expression « majorité absolue » ne s'applique que dans les cas où une assemblée est appelée à choisir entre plus de deux candidats pour un poste donné. Les règlements peuvent alors exiger soit la majorité simple, soit la majorité absolue, c'est-à-dire plus de la moitié des voix exprimées.

RÈGLE 97

Vote prépondérant du président

Lorsqu'il y a égalité des voix dans le cas où l'adoption d'une proposition requiert la majorité simple, le président doit exprimer un vote prépondérant afin de trancher la question.

Commentaires ▸ Le terme « président » désigne ici la personne qui préside la séance au moment du vote.

RÈGLE 98

Inscription d'une dissidence

Sauf lorsque le vote est secret, tout membre de l'assemblée a le droit de faire inscrire nommément sa dissidence au procès-verbal.

RÈGLE 99

Proclamation du résultat du vote

Le président proclame le résultat du vote et déclare que la proposition est adoptée ou rejetée.

5. Le pouvoir supplétif du président

RÈGLE 100

Pouvoir supplétif du président en cas d'absence de règle

Si aucune des règles de procédure adoptées par l'assemblée ne permet d'apporter une solution à un cas particulier, il revient au président de prendre une décision en la matière.

Commentaires ▸ Cette décision du président peut, comme toutes ses autres décisions, faire l'objet d'un appel auprès de l'assemblée.

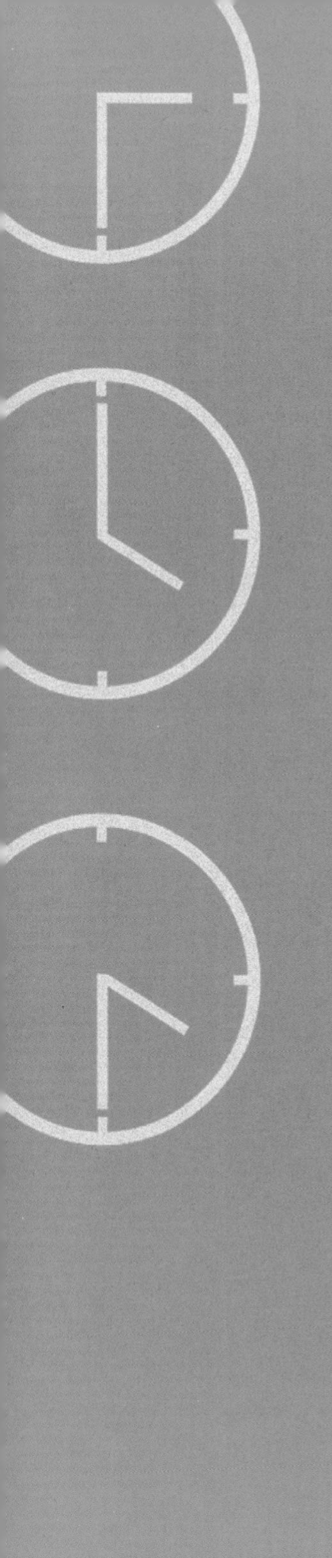

IV

La fin d'une séance

RÈGLE 101

Clôture de la séance

Il appartient au président de déclarer que la séance est close après l'adoption de la proposition de levée ou d'ajournement de celle-ci.

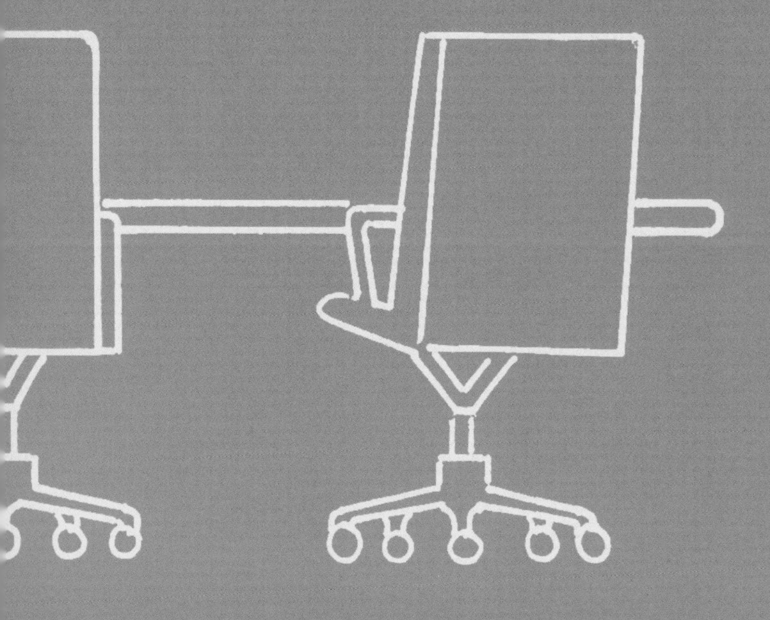

ANNEXE A

Le dossier-séance

SÉANCE d'assemblée délibérante, délibérations, dossier-séance sont des réalités indissociables : affirmer ce fait et en décrire les rouages, tel est l'objet de la présente annexe.

Pour chaque séance qu'elle tient, une assemblée délibérante doit disposer des documents nécessaires à son fonctionnement et à la prise des décisions résultant de ses délibérations.

Comme ces documents constituent les archives de l'organisme en cause, il est avantageux que ceux-ci soient colligés selon un système nommé « dossier-séance ». Tous les documents distribués reçoivent une cote qui peut faire référence à l'organisme, au numéro de la séance et à un numéro séquentiel des documents distribués, cette numérotation pouvant être continue, soit à l'intérieur d'une séance uniquement, soit d'une séance à l'autre. Ces documents sont conservés ensemble et peuvent être ainsi repérés aisément. De façon à faciliter leur repérage, une liste cumulative des documents distribués aux membres est tenue à jour par le secrétaire.

En règle générale, un dossier-séance comporte les pièces suivantes :

- la convocation à la séance,
- l'ordre du jour,
- le projet de procès-verbal de la séance antérieure,
- les documents distribués pour information, s'il y a lieu,
- les documents de travail,
- la correspondance reçue,
- la correspondance expédiée.

1. La convocation à une séance

Ce document par lequel on informe les membres de la tenue d'une séance doit contenir les renseignements suivants :

- le nom de l'organisme,
- l'ordre numérique, la date et l'heure de la séance,
- le lieu où se tiendra la séance.

2. L'ordre du jour d'une séance

L'ordre du jour est un document où sont énumérés les points qui doivent être discutés au cours d'une séance.

- On peut trouver avantageux d'inscrire l'ordre du jour sur la convocation elle-même.

3. Le projet de procès-verbal de la séance antérieure

Le projet de procès-verbal de la séance antérieure est classé dans le dossier de la séance où il est présenté pour adoption. Si l'adoption de plusieurs procès-verbaux est inscrite à l'ordre du jour d'une séance, le dossier de cette séance doit les contenir tous. En outre, doit être constitué un registre des procès-verbaux adoptés et dûment signés par le président et le secrétaire de l'organisme.

4. Les documents distribués pour information

Ces documents se distinguent des documents de travail du fait qu'ils ne font pas l'objet de délibérations, mais d'informations ou de questions.

5. Les documents de travail

Les documents de travail sont distribués pour étude, délibération et adoption ou rejet. En conséquence, ils peuvent donner lieu à une ou à plusieurs versions. L'identification (cote), le classement et le repérage de ces documents doivent tenir compte des facteurs relatifs aux étapes conduisant à leur adoption. À ce titre, on en distingue deux types : les documents adoptés tels quels, les documents adoptés après modification.

6. La correspondance reçue

La correspondance reçue est formée des pièces de correspondance que reçoit l'organisme dans l'exercice de son mandat et dont il est fait état au cours d'une séance. Selon le cas, ces pièces de correspondance sont lues en assemblée ou simplement distribuées.

- Cette correspondance ne comprend pas les pièces relatives à une suite donnée à une délibération.
- Une pièce de correspondance appelant une décision de l'organisme est traitée et cotée comme un document de travail et non comme une pièce de correspondance reçue.

7. La correspondance relative aux suites données aux délibérations d'un organisme

Cette correspondance est formée des pièces que le secrétariat d'un organisme transmet à des personnes ou à d'autres organismes pour les informer des décisions prises en vue d'assurer, le cas échéant, la mise en œuvre des mesures adoptées au terme des délibérations.

ANNEXE B

La rédaction et la présentation d'un procès-verbal

1. Les fonctions du procès-verbal

Le procès-verbal est le témoin autorisé des délibérations et des décisions de l'assemblée délibérante d'un organisme. À ce titre, il a une triple fonction :

- *Une fonction administrative*

Le procès-verbal est d'abord le compte rendu des délibérations et des résolutions d'un organisme ; il est rédigé par le secrétaire et approuvé par les membres. Il atteste des décisions prises et fonde les suites données aux délibérations et aux résolutions.

- *Une fonction juridique ou légale*

Témoin autorisé des délibérations et des décisions d'un organisme, le texte du procès-verbal peut être invoqué à titre de preuve en cas de litige.

- *Une fonction documentaire et historique*

Le procès-verbal doit refléter avec exactitude le contenu et le déroulement des séances d'un organisme. Il est la première ressource permettant de comprendre tel ou tel élément pris en considération et le seul moyen de reconstituer l'ensemble du déroulement d'une séance.

Pour atteindre ces fins, chaque assemblée doit établir ses règles en matière de présentation et de rédaction de ses procès-verbaux.

2. La pagination

Le procès-verbal peut être paginé selon l'une ou l'autre des méthodes suivantes:

- pagination autonome à chaque séance,
- pagination continue d'une séance à l'autre.

3. L'en-tête

L'en-tête comporte la mention des éléments suivants:

- *La désignation de l'organisme*

Cette désignation doit contenir les informations suivantes: le nom de l'établissement, le nom officiel complet de l'organisme qui tient la séance et, s'il y a lieu, le nom de l'organisme dont dépend ce dernier.

- *La numérotation de la séance*

L'ordre des séances d'un organisme est indiqué en numérotation continue, qu'il s'agisse de séances ordinaires ou de séances extraordinaires. Les parties d'une séance ajournée portent le même numéro que la séance initiale; la mention «première partie», «deuxième partie», et cætera, est alors insérée.

- *La date de la séance*

L'en-tête comporte l'indication complète de la date de la séance, soit les mentions suivantes : jour de la semaine, quantième, mois et année.

- *L'heure de la séance*

L'heure de la séance est mentionnée dans l'en-tête.

- *L'endroit où se tient la séance*

L'endroit où se tient la séance est indiqué dans l'en-tête.

UNIVERSITÉ DE MONTRÉAL
COMITÉ EXÉCUTIF

Procès-verbal de la 889e séance tenue
le mardi 12 septembre 2000 à 12 heures 15
à la salle H-425 du Pavillon principal
de l'Université de Montréal

4. L'identification des personnes

Les personnes qui participent à un titre ou à un autre à une séance d'assemblée sont identifiées par leurs nom et prénom, lesquels peuvent être précédés des titres de civilité écrit en abrégé. Ce mode d'identification s'applique aussi bien à la liste des présences qu'au texte même du procès-verbal. La nomenclature est toujours présentée selon l'ordre alphabétique y compris lorsque les noms des participants sont regroupés en fonction des principes de composition de l'organisme.

Si une personne convoquée qui n'a pu être présente à la séance d'assemblée demande expressément d'être excusée, il en est fait mention au début du procès-verbal.

La liste des présences est suivie de la mention des personnes qui agissent à titre de président et de secrétaire. S'y ajoute, le cas échéant, le nom de la personne qui prend note des délibérations.

PRÉSENTS
Membre d'office
Le recteur, N…
Membre nommé par le Conseil de l'Université
N…
Membres nommés par l'Assemblée universitaire
Mme A…
M. B…
Observateurs
N…

ABSENTS
Membres nommés par le Conseil de l'Université
M. A…
Mme B…
Membres nommés en vertu du contrat d'affiliation
M. A…
M. B…

PRÉSIDENT
Le recteur, N…

SECRÉTAIRE
Le secrétaire général, N…

5. Les délibérations

▸ *La numérotation*

La numérotation des délibérations reprend la numérotation des séances. Elle se compose comme suit : sigle ou abréviation du nom de l'organisme, suivi d'un trait d'union ; numéro de la séance, suivi d'un trait d'union, et numéro séquentiel à l'intérieur de la séance.
Lorsque l'objet de la délibération principale comporte plusieurs questions, celles-ci peuvent être considérées comme des sous-délibérations marquées par l'ajout d'une décimale au numéro de la délibération.

▸ *Les délibérations faisant régulièrement partie d'un procès-verbal*

Tout procès-verbal doit comporter les délibérations relatives aux points suivants : ordre du jour, adoption du procès-verbal, affaires découlant du procès-verbal, correspondance, informations et questions, clôture ou ajournement de la séance (voir *supra*, règles 41-48 et 101).

▸ *L'identification des intervenants*

L'identification des intervenants est laissée à la discrétion de chaque organisme. Cependant, tout membre d'une assemblée a le droit d'exiger que son nom soit mentionné en regard de telle ou telle intervention.

▸ *La structure générale d'une délibération*

Une délibération comporte généralement les éléments suivants : l'état de la question, la proposition, la discussion, le vote et la résolution.

L'état de la question
L'état de la question doit être formulé clairement et décrire de façon adéquate la problématique de l'objet à l'étude et la teneur de la décision recherchée.

La proposition
La proposition formule de façon précise l'objet sur lequel l'assemblée est appelée à se prononcer ; tout amendement est traité comme une proposition.

CRC-273-1 **ORDRE DU JOUR** CRC-273-1

L'ordre du jour se lit comme suit :

1. Ordre du jour
2. Procès-verbal de la 272e séance tenue le 30 mars 2000
3. Affaires découlant du procès-verbal
4. Information
5. Application de la Politique sur la probité intellectuelle en recherche
6. Recherche et financement de la recherche dans les secteurs des Arts, Lettres et Sciences humaines
   - Rapport du sous-comité
7. Politique de recherche
   7.1 Politique de l'Université de Montréal sur les brevets d'invention
   7.2 Politique de l'Université de Montréal sur la propriété intellectuelle
8. Affaires diverses
9. Prochaine séance
10. Clôture de la séance

CRC-273-2 **PROCÈS-VERBAL DE LA 272e SÉANCE** CRC-273-2

Après délibération, sur proposition dûment faite et appuyée, le Comité de la recherche adopte tel que présenté le procès-verbal de la 272e séance tenue le 30 mars 2000.

CRC-273-3 **AFFAIRES DÉCOULANT DU PROCÈS-VERBAL DE LA 272e SÉANCE** CRC-273-3

Les sujets relatifs aux affaires découlant de la 272e séance reviennent à l'ordre du jour de la séance.

La discussion

La discussion est rapportée de façon que le lecteur puisse en saisir les éléments essentiels. L'organisme peut opter pour l'une ou l'autre des méthodes suivantes:

- consigner les discussions de manière détaillée ;
- résumer les discussions soit en suivant l'ordre chronologique des interventions, soit en les regroupant selon un ordre logique.

On note que certains organismes jugent opportun de ne pas relater les discussions au procès-verbal; cette façon de faire réduit la portée historique de ce dernier.

Le vote

Le vote sur une proposition doit être rapporté selon l'ordre suivant, s'il y a lieu: vote sur le sous-amendement, vote sur l'amendement, vote sur la proposition elle-même.

Le procès-verbal doit faire état de l'appui donné à une proposition selon le type de vote auquel l'assemblée a eu recours pour exprimer cet appui.

- Le consentement (ou le rejet) tacite, sans vote formel, se traduit par l'expression « à l'unanimité ».
- Le consentement (ou le rejet) constaté sans décompte des voix se traduit, selon le cas, par l'une ou l'autre des expressions suivantes: « à l'unanimité » ou « à la majorité ».
- Le consentement (ou le rejet) constaté à la suite du décompte des voix, qu'il s'agisse d'un vote à main levée (ou de l'équivalent) ou qu'il s'agisse d'un scrutin, se traduit par l'indication du nombre de voix favorables à la proposition, du nombre de voix contre ainsi que du nombre d'abstentions (voir *supra*, règle 96).

La résolution

La résolution est l'énoncé, au procès-verbal, de la proposition telle qu'adoptée.

La résolution constitue l'élément le plus important de la délibération: elle est la résultante de tous les autres éléments que celle-ci contient, qu'il s'agisse de l'état de la question, de la proposition, de la discussion ou du vote. Dans cette perspective, il est primordial que chaque résolution soit bien identifiée et facilement repérable.

Les types de résolutions varient selon les questions étudiées et selon la compétence de l'organisme : ainsi, un organisme peut recommander, suggérer, adopter, prendre acte, donner suite, *et cætera*.

▸ *La signature du procès-verbal*

L'exemplaire officiel du procès-verbal de chaque séance doit porter la signature (et non une reproduction de la signature) des personnes qui ont agi en qualité de président et de secrétaire de la séance. Il est d'usage de colliger les exemplaires officiels dans un registre ou un recueil.

Adopté le 21 mars 2000 • Délibération CP-175-2

LE PRÉSIDENT	LE SECRÉTAIRE
____________________	____________________
(Nom)	*(Nom)*

NOMENCLATURE DES RÈGLES

Les chiffres en couleur de ce tableau désignent la page où on pourra trouver la référence.

INDEX

Les chiffres de cet index désignent la ou les règles dans lesquelles on peut trouver le sujet en question. Les caractères gras mettent en évidence la référence la plus importante.

TABLEAU DES RÈGLES RELATIVES AUX PROPOSITIONS

CATÉGORIES ET TYPES DE PROPOSITIONS	NUMÉRO DE LA RÈGLE	ROMPT L'ORDRE D'INTERVENTION	INTERROMPT L'ORATEUR	EXIGE UN APPUI	ADMET LE DÉBAT	EXIGE UNE MAJORITÉ	Peut faire l'objet des types suivants de propositions : PRIVILÉGIÉES	INCIDENTES	DILATOIRES	ORDINAIRES
PROPOSITIONS PRIVILÉGIÉES	**58**									
1. Levée de la séance	64	oui	non	oui	non	simple ou 2/3	non	oui sauf 9, 10, 13	non	non
2. Fixation du moment de la poursuite de la séance	65	oui	non	oui	oui*	simple	non	oui sauf 13	oui	oui
3. Ajournement	66	oui	non	oui	oui*	simple	non	oui sauf 13	oui	oui
4. Suspension de la séance	67	oui	non	oui	oui**	simple	non	oui sauf 13	oui sauf 19, 20	oui
5. Question de privilège	68	oui	oui	oui	non	simple	non	oui sauf 9, 10	oui sauf 16, 17, 20	non
6. Appel de la décision du président	69	oui	oui	oui	non	simple	non	oui sauf 9, 10, 13	oui sauf 16, 17, 20	non
7. Modification de l'ordre du jour adopté	70	oui	non	oui	oui	2/3	non	oui	oui	oui
PROPOSITIONS INCIDENTES	**59**									
8. Retrait d'une proposition	71	oui	non	oui	non	simple	non	oui sauf 8, 9, 10, 13	oui sauf 17, 20	non
9. Demande de huis clos	72	oui	oui	oui	oui	simple	non	oui sauf 9, 13	oui sauf 19	non
10. Imposition d'une limite de temps	73	oui	non	oui	oui	2/3	non	oui sauf 13	oui	oui
11. Lecture d'un document	74	oui	non	oui	non	simple	non	oui sauf 9, 10	oui sauf 17, 20	non
12. Mise par écrit d'une proposition	75	oui	non	non	non	n'exige pas de vote	non	non	non	non
13. Scission d'une proposition	76	oui	non	oui	non	simple	non	oui sauf 9, 10, 13	oui sauf 17, 19, 20	non
14. Suspension des règles	77	oui	non	oui	non	unanimité	non	oui sauf 9, 10	oui sauf 17, 20	non
15. Vote secret	78	oui	non	oui	non	simple	non	oui sauf 9, 10, 13	non	non

PROPOSITIONS DILATOIRES	60									
16. Remise provisoire d'une question	79	oui	non	oui	non	simple	non	oui sauf 9, 10, 13	oui sauf 17, 19, 20	non
17. Vote immédiat	80	non	non	oui	non	2/3	non	oui sauf 9, 10, 13	non	non
18. Remise à un autre moment ou à une date fixe	81	oui	non	oui	oui***	simple	non	oui sauf 13	oui	oui
19. Renvoi à un comité	82	oui	non	oui	oui	simple	non	oui sauf 13	oui	oui
20. Renvoi à une date indéterminée	83	oui	non	oui	oui	simple	non	oui sauf 13	oui sauf 20	non
PROPOSITIONS ORDINAIRES	**61**									
21. Sous-amendement	84	non	non	oui	oui	simple	non	oui	oui	non
22. Amendement	84	non	non	oui	oui	simple	non	oui	oui	oui
23. Proposition principale	85	non	non	oui	oui	simple	non	oui	oui	oui
24. Reconsidération d'une question	86	oui	oui	oui	oui	simple	non	oui sauf 13	oui sauf 16	non
25. Mise en candidature de membres de comités	87	non	non	oui	non	simple	non	oui sauf 9	oui sauf 17, 20	non

- À l'exclusion des propositions spéciales, les propositions sont numérotées d'une façon continue et apparaissent selon l'ordre décroissant de priorité (voir la règle 63).
- Dans certains cas, la mention **non** indique simplement que l'occurrence ne peut se présenter.
- Les astérisques doivent être interprétés comme suit :

  * le débat ne peut porter que sur la date ;
  ** le débat ne peut porter que sur la durée ;
  *** le débat ne peut porter que sur le fond.